진달래 시집

번제(Burnt Offering)

번제(Burnt Offering)

인　쇄 : 2021년 9월 6일 초판 1쇄
발　행 : 2021년 10월 2일 개정 1쇄
지은이 : 최태안
펴낸이 : 오태영
표지디자인 : 노혜지
출판사 : 진달래
신고 번호 : 제25100-2020-000085호
신고 일자 : 2020.10.29
주　소 : 서울시 구로구 부일로 985, 101호
전　화 : 02-2688-1561
팩　스 : 0504-200-1561
이메일 : 5morning@naver.com
인쇄소 : TECH D & P(마포구)

값 : 10,000원
ISBN : 979-11-91643-13-8(03810)

진달래 시집

번제(Burnt Offering)

최태안 지음

진달래 출판사

시인 소개

최태안(1972년생)
인천 동인천고와 인하대 토목공학과를 졸업하고,
영국 셰필드 할렘 대학교에서 석사 학위를 받았다.
저자는 고시에 합격해 2002년 공직 생활을 시작하여,
인천시 도로과장, 도시재생건설 국장 등을 역임했고,
현재는 인천시 경제자유구역청 영종 청라 사업본부장에
재직 중이다.
신앙적 바탕에서 주변을 관찰하며 써온 시들을
섬기는 교회 신문에 연재하고 있다.

목차

Part 2. 성경 인물에서 느끼는 신앙고백

들어가는 말

딱딱한 공대 출신에다 기술직 공무원으로서 업무에 시달리는 나의 삶은 문학과는 관련이 없는 듯하다. 하지만 공대 출신이든 인문계 출신이든 모든 삶은 외롭고 힘들며 또한 신앙의 삶 자체는 기도의 삶이기에 그러한 간구의 마음이 시 습작 계기가 되었다.

그런 습작이 괜찮았는지, 섬기는 교회에서 교회 신문에 주기적으로 글을 써달라는 요청으로 시를 쓰게 되었는데 벌써 100여 편이 되었다.

내 시의 대부분은 신앙에 관련된 것이지만 사실 내 신앙 수준은 나약한 수준, 아니 죄인의 모습 그 자체이기에 내용 대부분이 참회와 도움 구하는 글이 대부분이다.

"여호와는 나의 목자시니 내가 부족함이 없으리로다(시편 23편)" 말씀처럼 주는 지금까지 내 삶의 인도자였고 앞으로 영원한 나의 목자이시다.

시집을 출판하게 권유하신 진달래 출판사 오태영 대표님께 감사드리고 나를 도와주는 내 반쪽 아내에게 감사하며 무엇보다도 시집뿐 아니라 내 모든 것은 주님께서 사용하셔서 감사드리고 주님께만 영광과 찬양 드린다. 주님만 영광 받으소서!

2021년 9월   최태안 올림

Part 1

생활 속에서 느끼는

신앙고백

번제(Burnt Offering)

피 냄새로 진동하는 회막에
또 다른 소 하나가 끌려온다.

벌써부터 날카로운 칼이
몸을 뚫고 들어오고
지글거리는 불이 다 태울 것 같다.

공포에 쌓인 송아지가
졸면서 예배드리는
무심한 나를 쳐다본다.

죽음의 울부짖음이
진정한 예배라고
말하고 싶어서인지

눈망울이 맺힌 채
내 눈을 뚫어지게 본다.

순종의 삶

회막문은 죽음의 문(門)이다.

들어오는 양(羊)마다
가죽이 벗겨지고
피를 가득 흘린 후에
불태워진 것처럼

백년전 이땅에 들어온 선교사들도
순교의 피를 뿌리고
향기로 사라진 것처럼

내가 사는 이 땅은
죄의 살점이 태워지고
피범벅이 될 때야 거룩해지는

매일 순종으로 몸부림치는
죽음과 피의 땅이다.

전심(全心)

내 앞에는
언제나 갈림길이 있다.

작은 손으로 과자를
한 움큼 쥐려는 아이처럼
두 개의 길을 동시에 가려 할 때

두 길은 세 길이 되고
또 그 세 길은 많은 길로 터져버려
아예 황무지가 되었다.

걸을 수 없는 광야에서
나를 비우고 포기할 때에야
오히려 주로 채워지고
주를 향한 전심이 생기니

이제 광야는
단순한 하나의
대로(大路)일 뿐이다.

소나무

햇살이 비칠 때에는
하늘을 끝없이 사모하며
날마다 발버둥 거렸고

거센 비바람이 몰아칠 때는
불평하고 원망하고 싶었지만
몸부림치듯 사랑을 꼭 붙잡았다.

1년 그리고 또 1년
그렇게 포기 없이 걸어간 세월이
윤기 나는 푸르름을 만들었다.

햇살이 가득한 오늘
나는 또 두 팔을 활짝 펴고
따뜻한 하늘을 만끽한다.

비

땅바닥이 내 마음속처럼
그렇게 오염된 줄 몰랐다.

그 투명했던 비가
땅에 조금 흐른 후
먹물처럼 오물이 되었다.

땅이 아무리 더러워도
피하기는커녕
달려와 껴안는다.

십자가의 잔잔한 피가
빗물이 되어 땅을 적시고
내 가슴을 씻긴다

내가 그 피의 의미를 이해하는 날
온 땅을 덮는 그 비의 수만큼
눈물을 흘려야 하리.

전철

퇴근길 전철에서 졸다가
타고 내리는 사람들을 본다.

많은 사람이
저마다의 사연을 가지고
정해진 역에서 타고 내린다.

창밖의 푸르렀던 나뭇잎이
벌써 낙엽이 되어 떨어지듯이
우리네 인생 여정도 잠깐이다.

퇴근길이 이렇게 짧을 줄 알았으면
무심히 지나친 오늘 하루를
더 귀하게 보낼 것을.

낙엽

태양의 열정을 노래하고
탐스러운 열매를 맺으며
단풍 색깔로 치장하던 때가
모두 한순간이다.

내가 베푼 대가와
남의 인정을 바라다가
미움과 억울한 감정만 쌓이고
내 몸은 늙고 말라갔다.

이제는 오직 사랑하고
이해하며 용서하고 싶다.

부드러운 사람뿐만 아니라
얼어붙은 땅까지도
함께 껴안고 싶다.

이제 정욕의 얽매임에서 떨어져
바람에 몸을 싣고
진정한 자유를 누리고 싶다.

봄비

겨우내 추위에 떨던
대지(大地) 위에
따스한 봄비가 내린다.

촉촉하게 적시는 봄비는
주의 은총이다.

의인만이 아닌
모든 죄인을 위해
흘린 십자가 피처럼

모든 이에게 흘리는
주의 따스한 눈물이다.

사랑이어라.

벗꽃

세상을 화려하게 물들이던
벗꽃이 어느새 사라졌다.

그 우아하던 꽃망울들은
다 어디 가고
땅바닥에 짓밟힌 자국만이
남겨졌을 뿐이다.

죽을 때에는 십자가 사랑밖에
붙잡을 것이 없는데도

세상 정욕들을 붙잡으려 몸부림치면
모두 사라지고
얼룩만이 조금 남겨질 뿐이다.

눈

저 높고 청아한 하늘에서
차갑게 얼어붙은 이 땅에
아무 삶의 무게나 빛깔도 없이
말없이 내려온 그대.

미풍에도 겸손히 순종하며
낮은 바위틈과 더러운 시궁창까지도
내려가서 위로하고

때론 짓밟힐지라도
세상의 모든 더러움을
하얀 몸으로 덮으며
따뜻하게 꼬옥 껴안더니

그 따스해진 눈물로
녹아서 사라져 간 그대.

사랑이어라.

일상의 신비

이스라엘이 사막에서 생수를 마시고
하늘의 만나를 먹을 때는
처음 신기하고 감사했지만

반복되는 일상이 되었을 때
이제는 감사와 신비가 아니었고
오히려 불평으로 변했다.

땅을 적시는 이슬비와
시원한 아침 공기는
일상적인 현상이지만

비를 깊이 연구할수록
하늘의 만나만큼이나
신비임을 깨닫는다.

주변이 생명으로 가득 차고
은혜로 박동한다.

이사

오랫동안 익숙했던 것들이
이제는 내 것이 아니다.

어디서 그렇게 쏟아져 나오는지
떠나고 정리하는 것이
살점을 베는 것 같다.

나그네 인생길이라는데
그간 많은 것을 움켜쥐고
너무 안주했다.

이제 살점을 도려내듯
세상 욕심을 던져 버리고

길 떠나는 나그네처럼
가볍게 살아야지.

빈 마음

탕자가 세상 헛된 것을
찾아 헤매듯

외로울 때면 인터넷이나
말 상대나 커피 등을 찾아
빈 마음을 채우려 했다.

외로움은
주가 마음 문을 두드리는
시간임을 깨달은 그때

아버지 앞에 무릎 꿇어
말없이 눈물 흘리는
돌아온 탕자가 되었다.

예배

예배당에서 감정을 절제하며
우아하게 찬양하는
십자가 사랑은

사실 목숨을 바친 절규였고
내 이름을 또박또박 부르며
사랑을 고백하던
피눈물의 울부짖음이었다.

탄식과 사모함
그리고 가슴을 찢는 눈물이 없는
아니 목숨을 던지지 않는
그 어떠한 헌신과 갈망은

진정한 예배가 아니다.

북한 형제

배고픈 북한 형제가 원하던 음식이
이곳에서는 넘쳐 버려진다.

목숨 걸고 드리던 소중한
예배가 이곳에선 무시된다.

순교자들이 갈망하던 복음이
이곳에선 낭비된다.

북한에서는 믿음의 삶이
각을 떠서 제단에 자신을 태우는
참제사이지만

풍요로운 이곳에서는
피 같은 주의 희생마저도
음식처럼 버려진다.

모래 위의 삶

오늘따라 설교 말씀이
날카로운 칼 같다.

세상 유혹에 흔들리지만
그래도 안전한 줄 알았고

창수가 닥쳐오지만
모래 위 집 안에서는
아늑한 줄 알았다.

내 안에 뭔가 꿈틀댄다.
지옥의 고통으로
내 영혼이 울부짖는다.

안일한 삶 대신
뜨거운 죽음을 선택하고
십자가에서 지옥의 아픔을 느끼며
절규하던 주님처럼

지금 피눈물로 울부짖어야 한다.

밤의 침묵

한낮에는 세상이
분주하고 시끄럽다.

성취하기 위해
애쓰고 긴장하며 바쁘지만
사실 뭔가 불안하다.

밤은 조용하다.

한낮의 실패로 무력해지고
내가 아무것도 할 수 없음을
반성하고 참회하기에 조용하다.

내 힘으로 분주할 때보다
주안에서 잠잠한 그때에
평화가 나를 감싼다.

허울

신실한 척하지만
결국, 정욕에 이끌리는
삶이여!

진심이 없는 형식적 예배도
연기처럼 사라질 것이다.

죽음의 절벽으로 돌진하는
차에서 뛰어 내리는
용기가 필요하다.

이제 죽음보다 강한
사랑을 찾고
내 안에 뜨거움을 채워야 한다.

태양

동틀 때 설렘으로
내 마음을 두드린 후

아침 미소로
나와 팔짱 끼며 동행하다가

가슴을 찢듯
뜨거운 사랑으로
열정을 불태우더니

결국, 그 사랑 때문에
그 피 흘리는 고통으로
낙조처럼 사라져가는 그대.

그가 내게 원하던 것은
나의 진심이었고
사랑이었다.

죽음에 대한 단상

비행기 사고로
수백 명이 순식간에 사라졌다.

조금 전까지 달콤한 미래를 계획하며
따뜻한 숨을 내쉬던 이들 아닌가?

오늘 다시 창조주를 생각한다.
아니 그 앞에 눈물로 엎드린다.

번제 단에 온몸을 태워
자신을 드렸던 번제물처럼

나의 자아와
세상에 집중한 모든 욕심을
활활 태우소서!

장미 I

담벼락 장미가
진한 색깔과 매혹스러운 향으로
불탄다.

단조롭던 길이 향긋해지고
뿌연 하늘도 수채화로
물들인다.

사울이 흙먼지 길에서
황홀한 주를 만나

건조하고 원망스럽던 삶이
열정과 생명의 삶으로
변화된 것처럼

태양을 만나
뜨거운 열정의
핏물을 터트린다.

나뭇잎

가을날 화려한 세상을 바라보며
나뭇잎처럼 떨어져 나왔다.

겨울바람이 차가워지더니
땅과 함께 몸은 얼려버리고

때로는 짓밟히며
냄새나는 오물처럼
뭉개졌다.

이제 속죄의 마음으로
눈물로 돌아설 때에

햇살이 나를 안으며
새순으로 옷 입히고

부활의 봄 소리를 울린다.

생존의 본능

세상을 화사하게
물들인 단풍 물은
사실 회개의 피눈물이다.

닥칠 추위와 고난을 알기에
지난 정욕의 방탕함을 회개하고

과거의 삶의 방식과
육의 생각을 잘라버리는
아름다운 피눈물이다.

그리하여
봄에 다시 부활하기 위한
생존의 울부짖음이다.

하루

오늘 아침도 꿈을 안고
희망차게 출발하지만

달리고 부딪히더니
반나절이 지나가고

정신 차리며
진지하게 다시 살려 하니
벌써 하루가 어두워진다.

얼마 안 남은 시간을
어떻게 사용할까 고민하다

야곱이 삶을 후회할 때
밤새도록 매달린 것처럼
오늘도 기도장소로 간다.

순종의 제물

주여! 오늘도
주 앞에 엎드리니
나를 태우소서!

순종에 따른 피곤과
두려움도 포기하며
번제 단에 올리니
태우소서!

십자가에서 불태우신
주의 아픔과 몸부림에
비교할 수 없지만

나의 몸과 생각과 시간까지도
온전히 각을 뜨고
하나도 남김없이 태우소서!

눈

세상은 항상 시끄럽고
각양각색으로 분주하다.

세상은 돈만 있다면
결혼만 한다면
배우자가 잘해 준다면
원수가 사라진다면
행복해진다고 외쳐댄다.

이제 모든 귀를 닫고
진정한 행복과
하늘의 주를 갈급하며
밤늦도록 조용히 엎드렸더니

밤새도록 눈이 내려와
주변 모든 소음을 묻으며
온 세상을 깨끗하게 덮었다.

임박한 심판

단풍이
자신의 화려함에
도취하지 않고

오히려 자신의 살점을
한 점 한 점 도려낸다.

허무한 화려함에 한눈팔다가
영영 죽을 수 있기에

오직 고독과 경건의
몸통만을 남긴 채
모든 것을 벗어던진다.

닥칠 강추위에 살아남기 위해
정욕의 살점들을 도려낸다.

커피

뜨거운 물을 붓다가
커피 알갱이를 보니
숙연해진다.

거친 흙 속에 여린 싹을 낸 후
세월 속에서 인내를
태양 열기 속에서 열정을
비바람 속에서 고난을 배우고

화염으로 불순물을 제거하여
순전한 알갱이로 건조하더니

이제는 자신을 녹여
뜨겁고 진한 향을 터뜨리며
모든 것을 바치는 희생 앞에서

나 자신이 부끄러울 뿐이다.

새벽빛

어둠이 깊을수록
빛이 소중해진다.

낙심이 커질수록
소망이 더 절실해진다.

절망의 어둠 속에
주저앉은 그 누구라도
희미하고 연약한 빛이라면
다시 일어날 수 있다.

흩뿌려지는 희미한 빛은
이미 찬란히 역동하는
희망의 고동 소리이다.

단풍나무

원근의 단풍들은
형형색색 소리의
웅장한 오케스트라 같다.

부드러운 이슬만을 먹고
곱게 자란 것이 아닌
가뭄과 거센 폭우를
기도하며 버텼다.

세상의 아름다움만 집중한
가지는 비탄에 빠지며
부러져 나갔지만

하늘을 즐거워하며
하늘만을 바라본 가지는

그저 사랑하게 되고
그저 용서하게 되어
이제 풍성한 단풍 향을 맘껏 뿜는다.

젊은 지도자

당당하면서도 겸손히
강건하면서도 온유로
여러 유혹 속에서
인내와 지혜로 버텨야 한다.

어른을 가르친다는 것과
훈련하고 경건의 생활보다

건방지다는 조롱과
무시하는 비방하는 소리와
더욱이 외로움은 견디기 힘들다.

나를 이해하는 바울이
근처에라도 있었으면
수백 번은 달려갔을 것이다.

세파에 흔들리는 내 마음
오늘도 주만 붙잡으리라.

봄비

밤새 내린 봄비가
실록으로 피어난다.

메말랐던 땅이
생명 덧입히고

보도블록 사이에 낀
갈급한 잡초 하나까지도
시원한 생수를 공급한다.

땅을 두드리는
봄비의 노래는

생명의 노래요
기쁨의 노래다.

바람

솔솔바람이 분다.
살랑 바람이 불 땐
어디로서인지 고민하지 말라!

단지 눈감고
바람에 몸을 실어

하늘의 새에게 다가가고
밤 별이 왜 그리 초롱초롱한지 물어도 보고

솔솔바람이 불면
모든 욕심을 버리고
솔 털처럼 바람에 몸을 싣자.

밤배

어둠이 몰려오는
거센 풍랑 앞에
흔들리는 작은 나룻배.

나름으로 열심히 달음질하는
세상살이지만
항상 두려움과 불안에 흔들린다.

어제 광야에서 떡을 주시던
주가 지금 내 안에 없다.

"내니 두려워 말라"는
다가오는 음성에
내 마음을 여니

두려움과 흔들림은 잔잔해지고
새벽은 동터오고
벌써 신나는 목적지라네.

장미꽃

교회 담벼락의
장미가 활짝 펴서
향기가 진하다.

하늘을 얼마나 사모하고
갈급해 했으면
새벽마다 흘리던 눈물이
핏방울로 맺히고

빨간 꽃으로 터지더니
애타던 갈급함을 녹여
진한 향기로 내놓는다.

짧은 인생이지만
더욱더 뜨거운 열정으로
하늘을 바라본다.

순간적인 생각들

분주히 길을 걷다가
갑자기 멈칫 섰다.

지금 무슨 생각을 하며
나는 대체 무엇을 위해 사는가?

단층 촬영하듯
근본적 질문으로 나를 바라보니

썩어 가는 환자의 고름처럼
정욕이 내 몸 안에 퍼져있다.

길에 서서 내 생각을 회개하며
기도하는 마음으로
겸손히 삶의 발걸음을 내디딘다.

외식(外飾)

예배드리는 내내
내 안에 무언가 빠져 있다.
갈급함이 없다.

두어 시간 기도하는데
애절함과 눈물이 없다.

전도하러 나왔는데
긍휼 없는 목소리만
흘러나온다.

죽음으로 가득 찬
회칠한 무덤 같다.

주는 나의 생명이오니
그 피가 내 안에
박동하게 하소서.

무지(無知)

모래사장을 무심히 내달렸는데
수많은 조개가 밟히면서 꿈틀댔다.

뿌연 밤바다의 물속에
숨 막히듯 작은 피라미가
지글거렸다.

어두운 방파제길을
수많은 하루살이가
꿈을 갖고 날아다닌다.

홀로라던 내 주변엔
생명으로 가득 찼고
사랑의 파도가 넘실댔다.

사막

개찰구를 향해 내달리다가
인파 속에서 문득
혼자라는 생각이 든다.

끝없는 사막,
숨 막히는 열기,
메마른 흙먼지 속에서
멀뚱멀뚱하니 서 있는 나.

갈급한 만나
목마른 생수
뜨거운 태양의 가려줄
구름이 그립다.

주님이 그립다.
지나간 사람들의 향내와
떠나가는 전철 소리에 잠긴
어느 날...

길

삶에 쫓긴다고 생각되면
길이 끝나는 남당리
바닷가에 서보라.

광활한 바다를 한 번만 보면
조급해야 할 이유가 없다.

더 걸을 수 없음을 아는 순간
어제의 괜한 아집과 원망도
바닷속에 슬그머니 내려놓는다.

붉게 물들여진 한가로운 저물녘
그러나 비워진 내 마음
무언가의 그리움과 사랑으로
다시 물들이고 싶다.

바다를 뻗은 불그레 빛을 찾아보면
바다는 더는 장애가 아니고
길이다.

침묵

칙칙한 콘크리트를 떠나
깊은 숲의 적막에 섰다.

도시의 징징거리는 소음은
빼곡한 전나무의 녹음에
막혀 조용하다.

희미한 물소리와
세미한 벌레 소리조차도
숲의 위엄에 눌려
고요하다.

문득 주님을 느낀다.

아무도 없는 벌판에
나와 주님만이
대면한다.

가을 낙엽

방금 떨어져
차가운 숨 고르는
가을 낙엽.

매일의 햇살과
무심히 흘렸던 일상들이
생명의 경이였음을
지금에야 깨닫는다.

지나치는 사람들에게
감사하며 축복하지 못한 것이
아쉽다.

살얼음 땅 위
바스락거리는 낙엽.

감사의 마음을 표현하려 했지만
벌써 아쉬운 이별이라네.

마지막 잎

추운 겨울날
바람 한 점도 감당 못하는
여리고 여린 마지막 잎사귀.

가느다란 침묵도
어찌할 줄 모르는
연약한 내 마음 같다.

오직 소망을 품고
이 긴 추위를 모두 견뎌야 하고
고난을 참아야 한다.

그 언젠가 파리한 가지 위에
새순이 부드럽게 부활하고

그 언젠가 소나기가 쏟아지며
실록이 무성하게 터지리라.

아카시아 향기

어둠을 밟으며 퇴근하다가
아카시아 향이 물씬 풍긴다.
지친 몸이지만 반가움에 고개를 든다.

커피 알갱이가
뜨거운 물에 녹아내리듯
겨우내 간직했던
뜨거운 태양을 향한 그리움이
밤공기에 녹아 퍼진다.

아카시아 꽃과 저문 태양의
속삭임이 느껴지는
간질거리는 봄날 기온이지만

태양은 곧 머지않아
용광로와 같은 뜨거움으로 화답하겠지.

태양보다도 내 가슴이
먼저 설렌다.

방

침대와 책상뿐인
원룸에 들어서면
그때부터 갖가지 생각이 떠오른다.

그 어느 곳보다도
조용한 이곳에선
오히려 더 많은
번민이 오간다.

밀린 빨래하며
방 청소로 분주할 때가
오히려 평온하다.

쌓였던 어두움을
쓸어 담고
추한 생각들을
닦아내면

내 마음도
깨끗해진다.

여름 여행

매혹적인 바다지만
사실 몸을 던지면
짜디짠 소금물이었으며
거품이는 진흙 물이었다.

황금빛 낙조 시간에
삼겹살 굽는 향기는
실상은 비포장길의 자욱한
먼지였다.

꿈을 나누던 동지들과
좁은 방에서 자다가
이들에게서
땀과 악취가 났다.

우리의 단점과 불결함이
살과 땀에 함께 녹아날 때
비로소 너와 나는
하나가 되었다.

무력감

사무실에 앉아
일하는 척하다가
아예 책상에 엎드려
한동안 자버렸다.

지겨운 장마에
불덩어리 태양도
지친 것처럼
오늘은 일이 안 된다.

사랑도, 근심도 염려도
내 뜻대로 안되는
아무것도 할 수 없는 날.

주여 갈급한 영혼을
채우소서!

들국화

빗물에 젖은
수줍은 들국화는
장미보다 오히려 눈부시다.

비바람에 휘날리는
가냘픈 모습은
해바라기보다 더 당당하다.

소박한 풀 내음이
하늘까지 채웠고
내 마음도 흔들렸다.

땅을 두드리는 빗소리도
고함치는 천둥소리도
무섭지 않은 듯

들국화가
방긋이 미소짓는다.

눈 I

눈이 내릴 때는
도시의 소음들이
하얗게 묻히운다.

저마다의 기쁨과 슬픔,
술렁임과 분주함도
모두 덮어 버린다.

아마 세상의
모든 애달픈 눈물들이
하늘에서 하얗게 얼려서

땅의 애달픔을 보듬으려
그렇게 고요하게
내려오나보다.

눈 Ⅱ

곱고 하얀 눈이 내렸다.

눈은 차에 깔리고
밟히며 길은 질퍽거렸고
옷이 더러워진다고
괜히 눈을 원망한다.

그러나 하얀 눈은
하늘이 간직한 푸른 꿈을

뜨거운 태양에 익히고 다져
소나기 눈물을 흘리며
초롱 별 같은 열매를 맺히어

아픔을 참으며
바람으로 곱게 간
구름같이 부드러운 하늘의 살점이었다.

땅의 아픔과 상처를 달래듯
아늑한 살결로 내리는 것이다.

장마

비가 갠 후
길거리의 얼룩과
가로수잎 사이의 먼지들이
깨끗해진 출근길에

길가에 시커먼 물이
흐르는 것이 보였다.

이 땅의 모든 오물을
짊어지고 가듯 더럽게 진했다.

왜 비가 밤새도록
그토록 많이 쏟아져야 했는지
이제는 알 것 같다.

비 온 후

비가 한참 내린 후

가로수의 잎사귀가
유난히 푸르게 빛났다.

아이의 부드러운 발을
씻겨주는 엄마처럼

밤을 새우며
먼지 낀 잎사귀를
뽀득뽀득 씻기고

따스한 밤바람의 숨결로
호호 불며
물기를 말렸나 보다.

먼지 날리던 도시는
이젠 뽀얀 살을 드러낸
귀염둥이 같다.

가을 하늘

여름 폭우와 태풍의 상처가
유난히 많았던
올해는 가을 하늘은
더욱 곱고 청아하다.

뭉게구름이
뜨거웠던 여름날의
삶의 흔적들을 훔치며
청아한 하늘 위로
미끄러진다.

땀과 눈물,
삶의 아픔과 흔적들을
깨끗이 훔치며

걸레 빛 뭉게구름들이
맑고 푸르른 하늘 위를
지나간다.

아버지 마음

그리운 이를 하염없이
기다리다 굳어버린
망부석처럼

그리움은 외로움이 되어
고달픈 눈물은 말랐고
벌린 팔은 천 근이 되었다.

집 나간 아들의 마음이
냉랭하게 느껴지건만

오늘도 애달픈 마음으로
포기할 수 없는
내 사랑을 기다린다.

기다림

죽었는지 소식도 모른 체
마냥 기다리는 것은
고난이며 외로움이다.

죽었다고 잊으라는 충고에
피눈물이 절로 나온다.

아버지를 잊고
향락에 빠진 탕자는
일상에서 바빠서
주를 잊어버린 내 마음이며

하염없이 아들을 기다리는
애처로운 아버지는

일상에서 함께 속삭이며
동행하길 바라지만
무시당하는 주의 마음이다.

정욕

하늘에 속한 새야!
땅에 집착하지 마라.

바람을 가볍게 헤치고
수리를 피하여 날던
가벼운 네 영혼이

땅의 먹이와 세상 정욕으로
무거워지고 둔해져
환난에 막히고
천적에 잡히지 않도록

땅에 집착하지 말고
눈을 들어 하늘을 보라.

실로암

화려한 네온사인에도
어디로 가야 할지
방황하는 나.

마치 한 치 앞도 안 보이는
어둠 속에서 헤매던 소경이
실로암에 가서 씻으라는
주의 말씀을 믿고 따르듯

궁휼의 말씀을
믿고 순종하여
참빛을 보게 하소서!

보물

빛이 환해질수록
어둠이 작아지듯

세상 소유를 버릴수록
하늘 보물은 커진다.

내 마음과 생각을
썩어 없어질
세상 보물이 아닌

영원히 빛날
하늘 보물에
쏟아붓게 하소서!

작정 기도

죽음을 앞둔
마지막 기도는
처절했다.

시간도 멈춘 듯
외로운 겟세마네는

사랑만이
뜨겁게 흐른다.

매일 반복되어
무료해지는
내 기도가

십자가 현장처럼
뜨겁게 하소서!

봄

겨울 추위에
푸른 생명이 사라지고
모두 잿빛으로 변하듯

주와 함께 지냈던
희망찬 시절이
십자가 사건으로
모두 절망으로 변했다.

강추위에 몸부림쳐도
연약한 싹 하나 살 수 없어
좌절하며 주저앉아 있을 때

봄바람처럼 조용히 다가와
따스함으로 나를 감싸는 주.

온 세상이 이제 모두
푸르른 생명 빛으로 변했다.

어린아이

어리고 연약하여
세상에 욕심이 없다.
다만 부모만을 바라본다.

엄마의 보살핌은
한 번의 경험이 아니라
매일의 삶이다.

어릴수록 더 갈급하고
더 그리워하고
더 다가가듯

아무것도 할 수 없어
주만 바라보는
영적인 아이가 되게 하소서!

참회록

촛불이 타들어 가듯
한 토막 내 인생도
언젠가는 끝나리라
생각했지만

이렇게 성큼 내게 다가오니
난감하다.

기도와 말씀대로 살며
마지막을 준비하기는커녕
세상과 내 욕심대로 살았다.

'일 년이라는 인생'
그 남은 며칠이라도
참회로 마무리하며

일 년의 새 인생은
주 뜻대로만 살리라
굳게 다짐한다.

그리움

같이 먹고 마시며
갈릴리와 광야 길을 거닐며
함께한 시간들.

환호하는 사람들을 떠나
동산 나무 그늘 아래에서
조용히 속닥이던 시간들.

그런 시간들이
계속될 줄 알았다.

마지막 유월절 식사를
함께 나누기를 그렇게도
원하고 원하였다 말하며

고난의 길을
외롭게 떠나신 주님.

함께한 세월들이
순간처럼 스쳐 간다.

하루살이

인생이 길지 않다며
시간을 쪼개고 아껴 쓰고

또 다른 내일이 없기에
매 순간 전력으로 질주하여

해 질 녘에는 회개로
생애를 마무리하는
겸허하고 겸허한
하루살이.

교사

마지막 때에
내 사랑하는 자가
세상에 마음 뺏기고
불순종하는데

악한 영혼에게 빼앗긴
그 영혼을 붙잡고
단 하루라도 목숨 걸고
기도해야 하는데
나는 힘이 없다.

죽어가는 그 영혼과
사랑이 메마르고
영력이 연약해진
내 모습이 처량해서

울고 또 운다.

사랑 I

어제는 많은 시간이
바쁘게 낭비되었다.

오늘은 분주함 속에서도
주께 집중하였더니
세상이 고요해지며

온 하루가 사랑으로
달콤하게 채워지고

내 사랑과 함께하는
순간순간이 보석이며
떨림이 된다.

사랑 Ⅱ

잎이 무성한 무화과나무
그곳에 열매가 하나도 없다.

내 오랜 신앙 연조에
뜨거운 사랑이 없다.

살 찢기까지 사랑한 주님
복음에 목숨을 던진 바울처럼
진실하고 애절한 사랑이 없다.

주여 내게 맡긴 영혼
끝까지 사랑하게 하소서!

새해

한 해의 많은 날들이
양초 토막 타듯
사라져 갔다.

분주함, 걱정,
젊음과 추억도
연기처럼 사라졌다.

새해 새날이 기쁘지만
양초 전체가 사그라질
마지막 날이 오기에

더 이상 죄의 그을음 없이
새해와 남은 세월 동안
온전히 불태우리라!

주의 피 감사하며
남김없이 태우리라!
영혼의 때를 위하여!

저녁 기도

처음 신앙생활 할 때
나를 절제하며
죄를 이길 수 있다고
자신했으나

우산 없이 소나기를
못 피하듯
결국, 죄에 흠뻑 젖는
내 모습을 발견한다.

탕자가
세상을 자신하며
나갔다가
결국, 찢기고 헐벗고
회개하며 돌아왔듯

오늘 저녁도 눈물로써
주의 도움을 구하며
엎드린다.

흰돌산성회

하계성회는 비좁고
더위와 땀으로
사서 고생이지만

죽게 된 나를 발견하고
피의 사랑을 알고
돌이키는 회개 눈물을 흘린다면

땀 흘리던 농부가
땅에 깊이 묻힌
천국 보화를 발견한
환희의 순간이 되며

성회에서 흘린
모든 땀과 눈물은
보석처럼 빛나리라!

기도

주여 내 눈을 열어주사

은밀하며 달콤하게
내 안에 들어와
꿈틀대며 용틀임하다가

결국, 내가 발버둥 쳐도
내 목을 휘감아 버리는
강력한 생명체를 알아

더는 끌려가지 않고
죽지 않기 위해
치열하게 싸우게 하소서!

그리하여
기도의 강력한 무기로
정욕을 산산이 깨부수도록
앉으나 서나 무릎으로
살게 하소서!

실상(實狀)

한때 벚꽃이 만발할 때
그 화려함이
내 실체인 줄 알았다.

지금 잎사귀가 무성하여
그 싱그러움이 내 실체인 줄
생각되지만

곧 눈보라가 몰아쳐
세상 분주함이 사라지고
앙상함만 남는 그 날에는

가난하고 갈급한 심령,
하늘을 향한 믿음,
곧 보이지 않는 것들이
나의 실상이 되리라!

진달래

분홍색 몸부림을
나는 차마 볼 수가 없다.

겨우내 살을 찢는 찬바람과
나의 배신과 변덕에
그는 온갖 아픔과 고초로
몸소 견딘다

앙상해진 볼품없는 가지에서
피가 터진 것이다.
분홍색 아픔으로 터진 것이다.

나에게 이제는
봄과 같은
따스한 마음 가지라고

그렇게 애타게
사랑의 마음을
터트린 것이다.

신비의 세계

갑자기 내린 눈으로
퇴근길 도로가 막혀
짜증 날 수 있지만

하늘에서 눈 내리는 것을
한참 쳐다보면
참 신기하다.

한파와 세찬 바람을
원망하며 몸을
움츠리지만

땅이 얼고 녹는 것
어디서인지 모르는
바람이 분다는 것
하늘에 구름이 떠가는 것
모두가 신비요, 기적이다.

우리는 창조자의
숨결이 가득 찬
신비의 세계에서
은혜로 살고 있다.

세월

거인 골리앗의 고함에
모두 벌벌 떨며 도망쳤으나
다윗만이 믿음으로
맞서 돌진하였다.

흐르는 세월 앞에
화려함과 자랑과 젊음도
모두 사라지니

세월은 모든 것을
삼키는 두려운 골리앗이다.

오직 소망으로만
세월의 골리앗에
맞설 수 있으리!

나의 소망
주 예수 그리스도.

좁은 길

인생길을 똑바로
가기가 어렵다.

지금 바로 못 가지만
나중에 직분을 맡으면

기도 생활도 잘하고
신앙도 성숙해져서
길이 쉬워지리라 생각했는데

그러나 세월 속에서
초신자든 직분자든
젊었든지 늙었든지
모두 다 상관없이

말씀에 순종하려고
몸부림치며
십자가의 각오 없이는

한 걸음도 갈 수 없는
길임을 깨달았다.

장맛비

학대받는 애굽 노예로서
고통으로 울부짖던 이스라엘처럼

미혹되고 압박당하여
연약함으로 쓰러지는
내 영혼에도 한 맺힘이 있다.

이웃 사랑과
부모 공경 못 한 응어리와
주를 사랑하지 못하고
오히려 배반했던 한 맺힘들.

연약함을 회개하며
한 맺힘의 억울함을
밤낮 울부짖음으로 토해 내니

마른 땅에 한두 방울의 빗방울이 변해
하늘이 열리고
장맛비로 쏟아진다.

피와 땀과 눈물이
쏟아진다.

장미 Ⅱ

추운 겨울부터
생긴 그리움.

따스해진 봄날에도
표현 못 한 그리움이
이슬처럼 한 올 한 올
마음속에 응어리지더니

그 응어리들이
한 맺힘으로 터져서
빨간 장미로 피었다.

주를 향한 그리움이
꽃봉오리마다
활활 타오른다.

삶의 반성

2020년 연말,
밀레니엄 20살 생을
마무리해야 하는 이 순간

지나온 길을 돌아보니
4년은 잠자는 데
7년은 일하는 데
1년 반은 출퇴근에
1년 반은 식사와 커피에 사용했고

제대로 활용한 건 겨우 6년
이 자유로움도
스마트폰과 쓸데없는 곳에 모두 허비했다.

아찔한 인생이다.

다시 새 인생을 산다면
감사의 눈물과 회개의 마음으로
시간을 아껴 쓸 것이다.

내일 하루라는 세월이
나에게 다시 허락하신다면.

돌아온 생명

화려한 가을날
나는 장밋빛 환상을 갖고
단풍처럼 떨어져 나갔다.

시원한 바람이 차가워지고
맞장구치던 시냇물도 얼어 버려
모두 죽음의 땅이 되었다.

배고픔과 추위와 눈보라 속에
내 몸은 냄새나는 거름처럼
더러운 진흙처럼 짓밟혔다.

이제 옛 추억을 깨달으며
속죄의 마음으로
고향으로 눈물로 돌아설 때

햇살이 달려와 나를 안으며
고운 새순으로 옷 입히고
부활의 봄 소리를 울렸다.

하루

철학이며 인생이며
복잡하게 논하기 전에
단순히 하루만을 생각하자.

희미한 빛을 내며
나름의 꿈을 안고
새 삶을 출발하지만

달리고 부딪히며
때로는 무더위와 싸우더니
어느덧 삶의 반절이 지나가고

다시 겸손함으로 차분히
진지하게 살려 하니
해는 어느덧 어둑해지고

얼마 남지 않은 값진 시간을
어떻게 사용할까 고민하다

야곱이 삶을 돌이키며 후회할 때
주님께 밤늦게 매달린 것처럼
오늘도 기도 장소로 간다.

생명력(生命力)

곱고 연한 풀이
아스팔트를 뚫고
나온다.

부드런 소나무도
강철같은 바위를 뚫고
흙 없는 곳에 뿌리를 내린다.

나약하여 넘어지고
남들이 비웃을지라도

오직 하늘을 향한 갈망으로
뜨거운 고난을 헤치고
살고자 용솟음친다.

Part 2

성경 인물에서 느끼는

신앙고백

왕으로 오신 이

행복과 존경을 받은
영광의 왕이 아닌

찔리고 상하고
몸이 찢겨 죽은
죄인으로

모든 누명과 억울함과
외로움과 목마름,
슬픔과 고통을 가진
버림받은 왕이여!

내 안에 영광의 왕으로
영접하오니
나를 다스리소서!

에스더

눈물과 고난뿐인 포로들에게
사형선고가 내려졌다.
원수들의 조롱 속에
모두 죽어야 한다.

피할 수 없는 절망 앞에
절망의 탄식만
소리 없이 흐느낀다.

죽어가는 나와 그들을 위해
금식하며 울부짖은 후
생명을 드리며 나아갔더니

사랑으로 받아주며
간구하는 그들을
긍휼로 안아주었다.

절망이 기쁨이 변한 그날
뜨거운 사랑이 피처럼 흐른 날이다.

다윗

변화무쌍한 폭풍우처럼
내 생각도 수시로 변하며

정욕 적인 생각이
휘몰아칠 때 놀라며 좌절한다.

생각과 대항하는 것이
거대한 창을 휘두르며
땅을 진동하며 달려오는
골리앗과 같다.

두려움에 떨며 도망치는
나약한 백성들 앞에서

오직 주를 의지하며
거인을 향해 돌진하던
다윗의 믿음 주소서!

다윗의 반전

땅을 진동하며 내달리고
맹수와 적진을 향해 돌진해
모든 위압을 부숴버리던 다윗.

이제 사울이 무서워졌고
피해 갈 곳이 없어
결국, 블레셋왕에게 갔다.

또 다른 죽음의 위기 속에서
미친개처럼 바닥을 기며
눈을 뒤집고 침을 흘리는 상황

앞이 깜깜한 위기 속에서
나를 뚫어져 보시는
주의 눈동자가 보인다.

끊어질 듯한 생명줄이
굵은 쇠줄이 되었다.

나사로

"주여 어디 계시나이까?"
그 신음소리는
차가운 돌무덤에 묻히었다.

이젠 갈등과 좌절은
천년만년 돌처럼 굳어지리라!

어둠과 침묵이 눈물이 되어
마지막 흐를 때

돌문을 열고 내게 오신 주님
"나사로야 나오라."
죽은 믿음도 보시는가?

광채 가운데서
대면한 주님의 눈에
뜨거운 눈물이 주르르….

사마리아 여인

삶의 몸부림은
매일 채워도 바닥나는
빈 항아리 같은 목마름이다.

가슴속 깊은 외로움은
태양으로 바짝 마른 벌판 같고
물 없는 죽은 골짜기 같다.

어느 사마리아 여인이
끊이지 않는 생수,
촉촉이 적시는 단물,
창조자를 만난 것처럼

삶의 빈 항아리를 이고
하염없이 따르는 나도

생명수를 만나
기쁨의 춤을 추고 싶다.

모세의 마음

삭막한 광야는
버려진 나의 모습이며
답답한 내 마음이다.

모두가 나를 배신하고
내 참모까지도 등을 돌렸다.
오늘 나는 광야에서
울부짖는 적막이 되었다.

하지만 무지한 이들을 안고 싶다.
산에 다시 오르며
흘리는 땀과 고난이 아무리 크다 해도
내 생명으로 대신하고 싶다.

버려진 광야 한가운데
시내 산이 우뚝 서 있듯

지도자의 외로움을
뜨거운 사랑과 함께
부르짖고 싶다.

바디매오

절망적이고 캄캄한
내 인생에도
빛이 비칠까?

불가능도 구하면
해결해 주실 분
나를 불쌍히 여기실 분.

그분 소식에
벌떡 일어나
두 팔로 군중을 헤치며
갈급한 기도로
나아간다.

아니 온 힘으로
울부짖으며
달려간다.

삭개오

내가 키 작다고
욕심 많고, 못생겼다는
수군대는 소리도 괜찮았다.

남부럽지 않은 부유와
쾌적한 큰 집이 있어도 기쁘지 않다.

그러나 왠지 허전하다.
외로움을 견딜 수 없을 땐
방문을 잠그고
소리 없이 울곤 했다.

나사렛 예수 소식에
수군대는 사람들 속으로
뽕나무 위로 달려갔고

내 집에 오신다는 말씀에
나는 춤추며 앞서가며

내 모든 것이던 재산
나의 생명이라도
기쁨으로 모두 드리리!

베드로

처음 신앙생활 할 때는
주와 모든 삶을 같이하며
목숨까지도 버릴
자신이 있었다.

그러나 두려움에 넘어진 후
내 삶은 무시하며 멀어졌고
살기 위해 저주하는
순간까지 이를 때

고문당하는 주의
눈과 마주치며
부끄러워 멀리 도망쳤다.

다시 조용히 다가와
어루만지시는 주님 앞에
염치가 없어 아무 말 못 하고

다만 눈물과 함께
'내가 주를 사랑하는 줄
주님만 아십니다' 라고
속삭이고 속삭일 뿐이다.

야곱의 삶

곱게만 자라다가
거친 땅, 낯선 땅으로
도망치던 야곱.

공허한 광야에서 만난
그분은 희망이었다.

그리운 고향길에
죽음을 앞두고
괴로움 속에 있던 야곱.

아무도 없는 광야에서
만난 그분은 구원이었다.

죽었다 살아난 아들을 보러
애굽으로 내려가다
인생을 돌이켜 보니

광야 같은 내 삶에
그분이 함께했다.
내 안에 항상 계셨다.

이삭

걷고 걸어도
끝이 없던 길

외치고 외쳐도
응답이 없는 허무함

결국, 내가 죽어야만
응답이 되고
길이 끝나려나?

"왜 나를 버리시나이까?"
모든 것을 포기하며
눈물 흘릴 때

눈물 가득 맺힌
아버지는 나를 외면하며

말없이
가슴을 찢으며
울부짖는다.

다윗과 골리앗

변화무쌍한 날씨만큼이나
내 생각도 시시로 변한다.

가끔 정욕 적인 생각에
잠긴 나 자신을 발견할 때마다
놀라며 좌절한다.

생각과 싸우는 것이
거대한 창을 내게 겨누며
땅을 진동하며 달려오는
골리앗과 같다.

두려움에 떨며 도망치는
나약한 백성들 앞에

주를 의지하며
기도의 물맷돌 돌리며
거인을 향해 돌진하던
다윗의 마음을 주소서!

격려의 말 : 달란트의 유익을 많이 남기기를

바쁘고 힘든 공직 생활에 최선을 다하며 성실하게
산 저희 사위가 주님의 몸 된 교회에서 충성스러운
마음으로 신앙생활을 잘 해주어 너무 기뻤습니다.
아내와 화목하게 살면서 하나님의 열매인 자녀도
예쁘게 잘 키워 자랑스러웠습니다.
일상생활하며 느낀 신앙의 고백을 섬기는 교회의
신문에 시로 게재하여 나올 때마다 감동하며 읽었
는데, 이번에 그 시들을 모아 시집을 출간하게 되
어 너무 기쁘고 자랑스럽습니다.
이 시집이 모쪼록 많은 이들에게 하나님에 대한
사랑을 다시금 불러일으키는 데 쓰임 받기를 기도
합니다.
늘 직장에서도 그리스도의 빛과 소금의 역할을 잘
감당하고 변함없이 신앙생활 잘 하여, 내 딸을 비
롯하여 모든 가족이 꼭 천국 가는 귀한 주님의 신
부가 되기를 죽는 날까지 기도하렵니다.
마지막으로 앞날의 건승을 주님이 지켜주시기를
바라며 늘 주님께 감사하고 신앙고백을 시로 표현
하여 주신 달란트의 유익을 많이 남기기를 격려합
니다.

장인 오경준 장로

축하의 말 I : 출간의 기쁨을 함께 나눠요

아내 오금정

20여 년간 변함없이 신앙적 가치관을 가지고 공직자로 살아오며 가장의 자리를 든든히 지켜주었던 당신이 충성스러운 마음으로 교회 신문에 기고했던 신앙의 시들이 벌써 100개나 되었네요.
늘 읽을 때마다 나를 되돌아보고 감동하였어요.
출간의 기쁨을 함께 누릴 수 있어 감사하고 행복합니다. 축하드립니다.

축하의 말 II : 삶이 멋지고 자랑스러워요

딸 최서영

평신도로서 직업에 대한 올바른 윤리관으로 나에게 본보기가 되어주는 존경하는 아빠가 오랫동안 충성하며 신앙생활에서 느끼신 바를 쓰신 시가 모여져 시집을 내게 되어 너무 기쁩니다.
삶을 통해 새로운 것을 도전하는 아빠의 삶의 자세가 멋지고 자랑스럽습니다

편집자(編輯者)의 말 : 진솔한 고백의 시편

시인은 영국으로 유학 갈 날짜가 얼마 남지 않은 시점에 아내의 권유로 썩 내키지 않는 심정으로 흰돌산수양관 성회에 참석했다. 드문드문 졸면서 설교를 듣던 중에 윤석전 목사님의 어린 시절 지옥 체험 간증 이야기에서 이대로 살다가는 지옥의 주인공은 바로 자신임을 깨달았다.

예수님이 십자가에 못 박히고 피 흘리고 돌아가신 것이 자신의 죄 때문이며 또 십자가에 달려 죽기까지 받은 주님의 엄청난 육체의 고통이 바로 자신이 지옥에서 받아야 할 고통이라는 것을 알게 되자 장년부 성회에 이어, 청년 성회까지 참석해서 은혜를 받았다.

그리고 성령의 인도하심을 따라 온전히 주님께 맡길 때 영적인 사람으로서, 온전한 주님의 일꾼으로서, 주님이 나를 어떻게 변화시켜 주실지 참으로 설레는 마음으로 유학 생활을 잘 마치고, 귀국하여 교회에서 충성스러운 일꾼으로 지금껏 충성했다.

특별히 모태신앙으로 신앙생활, 기독교 문화에 젖어있는 진솔한 고백이 시로 표현되어 독자에게 회개를 불러일으키고 감동을 주었다.

2006년 8월에 처음으로 '모세의 마음' 이라는 시를 발표한 이후 드문드문 시를 써 왔다.

그러다가 섬기는 교회에서 매주 신문을 내게 되면서 두 달에 한 번꼴로 꾸준하게 시를 발표했다.

시인(詩人)의 시 주제는 두 가지로 구분할 수 있다. 생활 속에서 경험하는 신앙의 느낌을 솟아나는 시적 감정으로 표현한 것이 한가지라면 성경을 읽으면서 만나는 수많은 사람에 대한 생각을 시로 승화시킨 것이 다른 한 가지다.

가장 최근인 2021년 9월 4일 자 교회 신문 '영혼의 때를 위하여'에 나온 시 **'생명력(生命力)'**은 코로나 19로 어려운 환경 속에서도 굴하지 않는 우리 기독교 신앙인의 모습을 나타내고자 쓴 시다.

책으로 내도록 허락하고 도와주신 시인에게 감사드리며, 직장에서도 고위 공직자로서 기독교인의 선한 영향력을 발휘하여 빛과 소금의 역할을 잘 감당하기를 바라며, 신앙생활에서도 집사로서 주님의 몸 된 기능을 잘 하다 꼭 천국 가는 믿음의 사람이 되기를 소망하고, 나아가 가정이 화목하고 건강하고 행복이 넘치길 기도한다.

2021.10월 수정재에서

진달래 출판사 대표 오태영(시인, 작가)